孫中山

THE TEN MAJOR NAME CARDS OF
LINGNAN CULTURE

目錄
CONTENTS

日昇銀鋪

原址在丹文西路之洋行十八間，即今中山公園牌坊以西路
段，現已廢。

昔，丹中山于歧役中西藥局，昔嘗日對銀鋪老板徐君之霍
亂症，後交往甚密，先生常以革命事說之，然徐君頗怯，且
曰"君直言必觸時忌，恐慎之。"先生哂曰"君莫殺頭乎"
伴丹中山創立民國，徐受必坤而覓先生，陳宮產委員收狀民民，
先生即予解決，飯待委員，並恤徐君一特別用人云

Richeng Bank

The bank was located among
shops and companies in Sunwen
Road W., yet it had been demolish-
ed. Dr. Sun Yat-sen once cured
the right sweat symptom of Ri-
cheng Bank's boss Mr. Xu, and
became a close friend with him
thereafter.

To learn about the revolutionary life of Dr. Sun Yat-sen, we have to recall his time as a teenager, when "strong winds herald the coming storm."

此子絕非
池中物

要想探尋孫中山革命一生的
脈絡，就得回到他的青少年
時代去，回到那個山雨欲來
的年代。

帶著彩雲之南，廣南西路土地上億萬年的泥沙，珠江滾滾東下，在北迴歸線和東京一一五度交匯點上投入太平洋的懷抱。經久不息的沖刷沉澱，南粵的母親河給廣闊的南方帶來新的土地，富饒的珠江三角洲在這裡堆積，成長，養育了千千萬萬的人民。孫中山就是這千萬人中的一個。

孫中山誕生時並沒有滿天祥雲，鳳凰臨門，他只是粵南一個再普通不過的農家誕生的第三個男孩。

與許多家世深厚的革命黨人比起來，孫中山的出身更貼近勞苦大眾。這也是他為什麼一直心繫民眾的原因吧。要想探尋孫中山革命一生的脈絡，捕捉他青少年時代的成長經歷必不可少。和眾多革命者一樣，少年孫中山渾身充滿了濃稠的熱血，是血氣方剛的憤青。

珠江三角洲因為泥沙沉澱的緣故，土地肥沃，物

產豐富，成為中國僅次於長江三角洲的富饒所
在。在這片全中國最富庶的地區有個香山縣，縣
治西南五十多里地瀕臨伶仃洋的沖積平原上，是
一個只有兩百人的小村莊。

村莊東西長南北窄，依偎在蘭溪河畔，一條街道
把村莊劈成兩半。村中有三姓，楊、陸、孫。村
北有一座古廟，供奉著「北方真武玄天大帝」。
翠亨村也是田園風景幽雅之所，各家院落前靠街
道，後有修竹相圍，東有溪流，西有樹林。

翠亨村

十九世紀以前，此地默默無聞，甚至從未出現在省級以上的地方誌中。但當一八六六年十一月十二日第一縷陽光灑在東太平洋的海岸線時，翠亨村這個優美的名字注定要被書寫入中國歷史。

西元一八六六年十一月十二日，也就是清同治五年十月初五，一名健康的男嬰誕生在翠亨村村民孫達成的家中，這位租種了兩畝半水田，還在村裡當著更夫的男人，抱著孩子喜憂參半。這是他家的三男，長男孫眉，長女金星，次女妙茜。孫達成擔心的是，在這之前次男典夭亡在先，如今面對上天賜予他的第五個孩子，老孫既高興又擔心。此時老孫的家近乎赤貧，佃租高昂，一家人棲息在村西頭的石頭陋室之中，生活艱難。

歷史沒有給孫達成洞悉未來的眼睛，他不可能知道孫家三男將成就一番經天緯地的功業，將中國歷史推入新的時代。但得子的快樂很快被喪女的悲痛掩蓋了，三男出生只三天，長女金星竟然因疾病而亡。

一九一八年的孫中山

老孫請來村中神漢算命，皆曰：三男命硬，剋死姐姐，但此子終有帝王之象，乃取乳名曰帝象，又經天緯地曰文，大號就叫孫文吧。孫文，孫中山，這個將在日後光耀中華的名字由此而生。

翠亨鄉里回憶起來，那時的孫中山是個快樂的小孩，放風箏、踢毽子、跳田雞、劈甘蔗等都是小孫中山喜歡玩的遊戲。幼年孫中山家裡窮，沒錢買鞋，他光著腳走遍了翠亨村每一寸土地。淘氣的他還常常爬上參天高的大樹取鳥蛋，用石頭投擲小鳥，鄉親見他倔強好動，給他起了一個綽號叫「石頭仔」。

孫中山與他的同志

在鄉間壟畝中玩樂到六歲的孫中山和眾多農家子
弟一樣開始了幫補家庭的生涯。與姐姐妙茜一起
上山打柴、放牛，到溪邊捕捉魚蝦，有時還要隨
著外祖父到海邊打蠔，參加一些輔助性的農業勞
動。

縱情壟畝並不如打魚摸蝦、放牛砍柴般詩情畫
意。更多時候，孫中山體會到的是田畝之間的艱
辛和勞累。他後來回憶：「幼時的境遇刺激
我……我如果沒出生在農民家庭，我或許不會關
心這個重大問題（民生問題）……當我達到獨自
能夠思索的時候，在我腦海中首先發生疑問，就

是我自己的境遇問題，亦即我是否一輩子在此境遇不可，以及怎樣才能脫離這種境遇問題。」

孫中山生前很少談及童年，日後宋慶齡曾生動地描繪過他那時的生活狀況：「孫中山很窮，到十五歲才有鞋穿。他住在多山的地區。在那裡，小孩子赤足行路是件很苦的事。在他和他的兄弟沒有成年以前，他的家住在一間茅屋裡，幾乎僅僅不致挨餓。他幼年沒有米飯吃，因為米飯太貴了。他主要的食物是白薯。」

Mr. May Chew
The Hotel Marion
Ogden, Utah

是男我兄大鑒別來所應寄事見得人心漸有可為
籌餉一事之成就亦當多在局中之辦理如何耳此
時想各已陸續有款付到但未知係匯港為款之
外能收足萬元否儻日前所支一切經費在內如過萬元
則務當照原議辦理將款用弟名付入銀行此事如須
弟親在大埠乃能辦到望兄從速示知弟到彼約
從當復回如不須弟在亦可辦到則不必費此一行又如
各人或有異議變更初時辦法更望兄速行示知無
論如何總望兄堅持初議庶免貽誤此事
則但日弟當往歐洲一行以辦重要之外交事件
望寄函何時能到金埠祈為示知此致即候
大安不一
杰亭
菊波 統此候好不另 弟孫文謹啟 十月九號

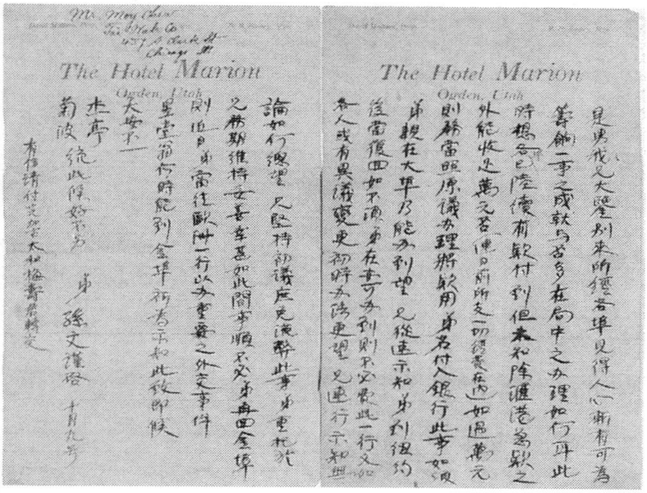

一九一一年，孫中山先生致函李是男，協商籌款使用及存儲方法

一八九一年，孫文寫下「農功」一文，闡述了他對農業改革的見解。不得不說這和他幼時壟畝生活有著不可分割的關係。

孫中山之子孫科回憶家世時稱，孫家從古到今皆深明民族大義，重氣節，宋亡則不仕元；明亡，則不仕清。十一世祖孫鼎標隨鐘丁先起義抗清，然抗清兵敗，方流徙他鄉。孫家世代民族意識特別濃厚，乾脆隱居壟畝，耕讀傳家。

很難説這種家世淵源對孫中山帶來多大的影響，
但至少有一點，從小，孫中山就展露出「造反」
氣質。

那時，翠亨村有一個參加過太平軍的老農民叫馮
爽觀，早晚在孫家住屋前的榕樹下乘涼，常常對
孩子講太平天國反清的革命故事。孫中山每每聽
得出神，對洪秀全很是敬慕，有一次情不自禁地

四大寇

說：「洪秀全滅了清廷就好了！」這位老兵見孫中山特別愛聽這些故事，就對他說：「你長大後也當洪秀全吧！」他還讓孩子們稱孫中山為「洪秀全」，孫中山也以「洪秀全第二」自詡。

孫家的生活並沒有因為孫文的幫補得到改觀，五十多歲的孫達成每天還要一遍遍地從床上爬起來，一手拿著竹梆，一手拿著竹板，邊走邊敲，向村民報時，賺取著微薄的報酬養活家中老小。

如果孫家一直延續著這種狀況，那麼孫中山這輩子只能在壟間地頭庸碌一生。但孫家長男孫眉的一次毅然出行改變了孫家的命運。當孫中山五歲的時候，十七歲的孫眉被賣了「豬仔」，遠渡重洋前往檀香山打工。

孫眉和許許多多漂洋過海的中國人一樣聰明耐勞，很快他便給家裡寄回了外匯。得到長男經濟上支持的孫達成終於可以盤算一件讓他思考許久

11

的事。到過澳門的孫達成也算是見過世面之人，他非常清楚自己的兒子不能如他那樣一生面朝黃土背朝天，是的，孫中山必須去讀書，只有讀書才能考取功名出人頭地。

一八七五年，孫達成把九歲的孫文送入了私塾讀書。孫文的聰明伶俐在私塾中迅速地展露出來，《三字經》、《千字文》、《幼學瓊林》等啟蒙讀物，經塾師領讀幾遍，他便能背誦。雖然進了私塾，但平日裡孫文依然經常下田幫忙。

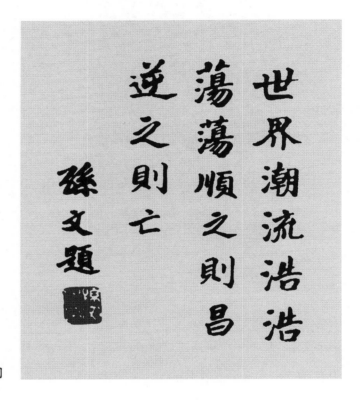

孫中山題詞

世界潮流浩浩蕩蕩順之則昌逆之則亡　孫文題

也許孫文的血液裡天生流淌著「叛逆」的因子，一次和先生的正面衝突讓他一鳴驚人。有一天孫中山將書本一扔，反問先生：「我一天到晚背書，可是不知道書上究竟講的是什麼意思，這樣的書讀了有什麼用呢？」

先生如何能受得了這樣的挑戰，「你不好好背書，胡說些什麼？你說你都會背了？那背給我聽聽！」

孫中山二話不說，將《大學》從頭到尾通背一遍。先生對此驚訝不已，雖然嘴上還是訓斥了幾句，但私下裡找到老實巴交的孫達成道：「孫文這個孩子長大了一定有大作為，家裡的小事不要叫他去做，做也無益。」

我們不可能知道聽了這番話，孫達成心中是怎樣的欣喜，總之從此往後，父親讓孫文每日只是專心讀書，不再幫家中幹活。三年苦讀，為孫文奠定了堅實的國學基礎，就如日後許許多多仁人志士一樣，這三年的「四書五經」的中式教育讓孫文日後得以學貫中西。

Only on seas, one can see the height of the sky and the width of the great world, in a broad view. Through his five years' stay in Honolulu, Sun Yat-sen could broaden his horizon with far-reaching insight.

檀香山的
中國少年

走向海洋，方知天高地闊；
放開眼量，才見世界之大。
在檀香山的五年生活，讓孫
中山視野拓展、心智開張。

少年孫中山

孫眉這位長兄在孫中山的一生起到的作用怎樣拔
高也不為過，可以説沒有孫眉的漂洋過海，很可
能就沒有孫中山日後的成就。正是孫眉在檀香山
的打拚給了孫中山入學的機會，而在孫眉發達之
後，先後應弟弟所請，傾其所有籌款七十萬美元
支持革命，以致於辛亥革命勝利後，孫眉在窮困
潦倒中故去。

孫中山十二歲那年，孫眉回家省親，孫達成將這
個在鄉間總愛惹禍的弟弟交給哥哥孫眉，帶出洋

去。那年，孫中山隨母親、哥哥登上了英國「蘭諾琦號」輪船，船兒駛離香港維多利亞港，一路向西，那邊是太平洋。

波濤洶湧的海浪，天藍海藍，海天融於一體，通向另一個未知的世界。船行海上，風高浪急，然孫中山立於船頭，望向海平線之際，走出翠亨村的孫中山猶如出籠之鳥，終嘗天地之闊，心胸豁然開朗。對這段旅程，中山回憶道：「始見輪船之奇，滄海之闊；自是有慕西學之心，窮天地之想。」

一九〇四年孫中山遭美國移民局扣留時拍攝的檔案照，雙手捧著寫著姓名的黑板

來到檀香山，孫中山大開眼界，經過一個多月的休息和觀光旅遊後，他又去見習經營商店業務，在孫眉積極聯繫下，孫中山被送入盤羅河學校就讀算術等科。繼而又進入正規的意奧蘭尼男子中學讀書。

初到異國，一個月的時間雖不長，展現在孫中山面前的卻是一個精彩的世界。一切使他感到新奇。進入意奧蘭尼男子中學接觸西式教育，為孫中山的思想啟蒙奠定了堅實的基礎。課餘時間，他堅持進修中文。他愛讀華盛頓、林肯等人的傳記，接觸了這些偉人的思想，並決心師法他們，要有一番作為。他對校中的救火會也很感興趣，他想到：自己家鄉如果發生火災，當地政府是不加過問的。入學第三年有了兵操課，他覺得這是很有意義的活動，適用於現代武器的新式操練，對於反抗壓迫和民族自衛是有用的。

一八八二年，當孫中山結束中學課程時，他從夏

威夷國王架刺鳩手中接過畢業證書的同時，還獲
得了英文文法第二名的好成績。

通過勤奮的學習，孫中山使自己的英文有了較好
的基礎，這使他有了與世界人民交流的語言；基
於斯，也使他有能力博覽英文圖書，豐富知識，
開闊眼界。後來，他多次周遊世界從事革命活
動，發表演說，聯繫外交，也都有賴於此。

孫中山在檀香
山成立興中會
的地方

初中畢業後，孫中山又順利進入了一所高級中學
奧阿厚書院。新的學校新的課程設置，除西方社
會政治學說外，還有各種自然科學知識，這在中
國學校是沒有的課程。

一八八二年秋，夏威夷國王架剌鳩環遊世界後，
提出了「夏威夷是夏威夷人的夏威夷」的口號，
民氣高漲。當地華僑中不少人也支持夏威夷人民
的反美鬥爭；而意奧蘭尼學校在韋禮士牧師主持
下，則成了一個「反美和反吞併主義情緒的堡
壘」。身臨其間、耳聞目睹了這一切的孫中山，
對此不能不有所感觸。可以說，夏威夷人民強烈
的民族主義情緒和反抗殖民統治的鬥爭對年輕的
孫中山不啻上了一堂最好的政治課。

檀香山意奧蘭尼
書院舊址

檀香山的讀書生活，使孫中山視野拓展、心智開張。他的生活情趣、價值觀念、思維方式等都在潛移默化地改變著。從那時起，他萌發了「良善政府」的朦朧想法。

但正當他準備完成高中學業時，一件大事引發了他與哥哥之間的矛盾。當時，檀香山的華僑們大多信奉關公，但孫中山不僅反對，還悄悄地把孫眉供奉的關公像砸爛，同時還到處宣揚基督教，並準備受洗入教。孫眉一氣之下，將孫中山送回了中國。

當時孫中山只有十七歲，正是少年一生中，血液最沸騰、最濃稠的歲月。五年西方教育已經讓孫

中山的血液中奔騰著全新的價值觀和理想，脫胎換骨的他蠢蠢欲動，行將投入那個大時代。

帶著一腔熱血回到家鄉的孫文，很快結識了他一生中最重要的朋友和戰友陸皓東，後者被孫中山譽為「辛亥革命犧牲第一人」。曾經隨父親在上海經商的陸皓東眼界開闊，兩人興趣相投，很快成了莫逆之交。

孫中山發現村中正在對「北方真武玄天大帝」的居所進行整修。一個大膽的計劃在孫中山心中構成。中秋節一早，吃過早飯，孫中山就同陸皓東一起來到北極殿，面對殿中拜祭的三姑六婆們，孫、陸二人大鬧真武殿，將殿中玄天大帝、金花娘娘等的泥菩薩一掃而空。

這可以看作孫中山第一件駭人聽聞的革命事件，其結果就是，老爹孫達成賠付廟中損毀「文物」，同時村中耆老逼迫著孫、陸二人離開翠亨村。

回鄉還不到半年的孫中山又被迫離開了家，他和
陸皓東一同出走，深秋之晨，海平面上的雲際
中，射出了金色的光芒。一艘木船孤獨地駛向了
一望無際的大海，孫中山獨立船上，遙望著離別
的家鄉，心中感慨萬分。這是他一生中第一次關
鍵的轉折，也是他奮鬥中邁出的第一步。

此番他的目的地是香港。

It was some lychee that brought together four ardent youths, (Sun Yat-sen, You Lie, Yang Heling and Chen Shaobai), also known as the "four major foes", who were determined to save the nation and vowed to join their hands for the cause.

殖民地的
反叛青年

幾枚荔枝，把四個立志救國的熱血青年拉到一起，孫中山和尤列、楊鶴齡、陳少白立約盟誓，人稱「四大寇」。

孫中山在日本

彼時香港已經成為英國殖民地四十餘年了，從當年一個小漁村變成了富有殖民地色彩的城鎮。雖然城市尚沒有今日的規模，但滲透著西方政治文化色彩的城市和人卻給予了孫中山嶄新的視角。

一八八三年十一月，孫中山入拔萃書室學英文。年底，他終於完成了入教的心願，與陸皓東等由美公理會傳教士喜嘉理行洗禮，加入基督教，署名日新。教會長老區鳳墀根據日新的粵語諧音，為他更名「逸仙」。

期間，孫中山還在區鳳墀門下學習中國經史。次年春，轉入中央書院中等學校讀書。中央書院實行完全的英國教育制度，用英語授課，課程開設英語、文學、世界歷史、地理、幾何、代數、機械製圖、簿記等。孫中山有機會進一步

涉獵西方的文化典籍，深化了所受的「歐洲式」
教育。

一八八三年到一八九二年，孫中山的學習生活與
香港有著密不可分的關係。在中央書院，獲得了
有關英國憲章運動、法國大革命以及美國獨立戰
爭等廣泛的歷史知識。

這時，中法戰爭剛剛結束，清政府在打勝仗的情
況下卑怯求和，使孫中山甚感痛憤。他曾想過投

筆從戎，但福建馬尾船廠和船政學堂已因法軍摧毀而停辦。旋又想到打仗需要醫生，「以醫亦救人之術也」。在廣州學醫甫一年，聽説香港有英文醫校開設，他覺得其學課較優，而地方較自由，可以鼓吹革命，所以投香港學校肄業。

孫中山的革命思想及新思想大多來自於香港的讀書歲月，他説：我之此等思想發源地即為香港，至於如何得之，則我於三十年前在香港讀書，暇時則散步市街，見其秩序整齊、建築宏美、工作進步不斷，腦海中留下深刻之印象。我每年回香山兩次，兩地相較，情形迥異，香港整齊而安穩，香山反

是⋯⋯外人在七八十年間在一荒島成此偉績，中國以四千年之文明，乃無一地如香港者，其故安在？研究結果，知香港政府官員皆潔己奉公，貪贓納賄絕無僅有，此與中國情形正相反。

由此可見，香港在孫中山的革命生涯中作用很大，他的革命思想不但在此地成型，而且從一八九五年香港興中會建立至一九一一年辛亥革命的十六年間，孫中山發動十次武裝起義中，有六次在香港祕密策劃。

在學期間，孫中山經常和他的同學好友陳少白、
尤列、楊鶴齡等人在一起，相聚於香港歌賦街的
楊耀記後樓，發抒救國抱負，議論清朝時政，縱
談革命大勢。

其中尤列，孫中山與他的相識還有段趣事。那還
是在南華醫學堂時，一天傍晚，孫中山與朋友鄭
士良上街買荔枝，等掏錢時卻發現口袋空空，便
與小販說：「今日忘了帶錢，明天來學校找我們
取款。」可小販不願意，鄭士良有些火了，說：
「我等不是那賴賬的人，決不會少你一個錢
的。」小販仍是不肯，於是雙方爭執起來，聲音
越來越大，引得行人都圍攏來看是怎麼回事，尤
列便是那圍觀的人之一。他正好與他的族叔、孫
中山的校友尤裕堂到博濟醫院探訪朋友路過那
裡。當下尤裕堂代付了荔枝錢，並一同回校。

那天晚上，幾個人以荔枝當晚餐，侃侃而談。孫
中山談興大發，高談愛國救國等一套宏論，使尤

列大開眼界，欽佩不已。從此，孫中山與尤列、
楊鶴齡、陳少白等有志救國的青年往來漸密，結
為知己。

後來，孫中山的提議立約盟誓，以表共同革命的
堅定信念。其他三人一致贊同，當時尤列二十四
歲為長，孫中山次之二十二歲，楊鶴齡、陳少白
分別是二十歲和十九歲。四人的宣誓形同結拜，
於是周遭眾人皆以「四大寇」喚之。

國父孫中山

Seeing that it was impossible to save the world with medicine, Sun Yat-sen quit his occupation as a doctor and took the revolutionary path. He set up the Revive China Society advocating the revitalization of the Chinese nation.

沒有路
就反出一個新世界

懸壺難以濟世，孫中山終於拋棄了醫生的身分，走上革命道路，創立興中會，喊出了「振興中華」的口號。

要研究孫中山在結束學業後到革命這段歷程，需
要搞清楚一條脈絡，就是孫中山如何從一名改良
主義者轉化為革命家。

結束學業的孫中山首先在澳門行醫，在這裡的一
年時間裡孫中山掛牌行醫，「中西各藥，取價從
廉」。他擅長外科和治療肺病，對貧困病者免費
送診。但遭到澳門葡萄牙醫生的妒忌和排擠，且

孫中山在庇能（檳榔嶼）的故居

自覺澳門地方不適於從事社會政治活動，孫中山便轉至廣州從業，先在廣州西關冼基開設東西藥局，並設醫務分所於雙門底（今北京路）聖教書樓內。他在廣州《中西日報》刊登廣告：「每日十點鐘至十二點鐘在局贈診，不受分文，以惠貧乏……凡延診者預早到局掛號。先生素以濟人利物為心，若有意外與夫難產服毒等症，報明危急，無論貧富，俱可立時邀至，設法施救，幸毋觀望，以免貽誤。」

通過行醫，他與很多官僚、富商、大紳相交，也有不少志同道合者。因為接觸上層社會，便瞭解到更多官場的腐敗，漸漸堅定了「欲救國救人，

非除去此惡劣政府不可」的決心。是年冬，孫中山集鄭士良、陸皓東、尤列、陳少白等八人在廣雅書局之抗風軒聚會，萌發組織革命團體的思想，提議倡設興中會，以「驅除韃虜，恢復華夏」為宗旨，後因參加者人數少，未能形成組織。

興中會不成功的組建是孫中山思想仍不夠成熟的表現，但「驅除韃虜，恢復華夏」的口號確立，卻在他的革命生涯中具有里程碑式的意義。

但對於改良與革命糾結中的孫中山，仍需要一個讓他徹底覺醒的契機。

而這個契機在一八九四年出現了。

李鴻章，中國近代史無論如何繞不過的人物，以淮軍起家，官拜封疆、執掌北洋、辦洋務、建海軍、謀外交、重教育。他又是一個複雜的人物，

國父孫中山

自嘲糊裱匠，雖知大清徒有龐大外表，卻敗絮其中，屢屢在為腐敗的朝廷縫縫補補，煎熬度日。

孫中山在困苦無前路時想到了他，這位自己就讀過的香港西醫書院的名譽贊助人，對人才也頗賞識，李鴻章曾經同意孫中山上京候缺。對於這樣一位複雜的歷史人物，孫中山當時仍存一絲希望，或許他能如鐵血首相俾斯麥一般挽狂瀾於既倒。

一八九四年的一月，孫中山回到翠亨村，深居簡出十餘天，埋頭寫成長篇函稿──「上李鴻章書」。此時離中日甲午戰爭爆發僅半年時間，在這個節點上的孫中山抱有改良的幻想，仍情有可原，畢竟此時的大清仍是東亞最強，具有東亞最強的海軍，那蕞爾小國日本還看不出有撼動大樹的能量。

孫中山認為，歐洲列國富強的秘訣，「不盡在於船堅炮利、壘固兵強，而在於人能盡其才、地能盡其利、物能盡其用、貨能暢其流」。這四條才是「富強之大經，治國之大本」。

寫就洋洋萬言，孫中山與陸皓東先往上海求見鄭觀應，再由後者寫信推薦給李鴻章身邊的盛宣懷，幾番輾轉，孫中山終於在是年夏天，正值中日甲午戰爭爆發的前夕抵達天津，託人將信函遞到李鴻章面前。

李鴻章甚至連內文一眼未看，便以「藉辭軍務匆忙，拒絕延見」。其時一番苦心付之東流的孫中山，內心失望可想而知，喟然長嘆之下，最後一絲不切實際的期待如幻影般破滅。

我們不能求證當時孫中山內心所想，但從其後所為來看，同年九月赴檀香山組建興中會，籌募革命款項；半年後也就是一八九五年一月，他即返回廣州組織第一次武裝起義。

由此可見，向李鴻章上書，是孫中山最後一次為舊時代做出的改良努力，既傾注了全部心血，又抱著最後一搏的念頭，當拳拳之心被無視之後，孫中山徹底拋棄幻想，走上了暴力推翻大清王朝的道路。

一八九五年對於大清朝來說，是歷史上最黑暗的時刻，甲午戰爭，泱泱大國不敵蕞爾小國日本。過去打不過西面來的金髮碧眼的洋人，清廷也就

認了，誰讓人家有洋槍洋炮，割地賠款了事；現如今，洋槍洋炮有了，鐵甲巨艦有了，竟然被天朝蔑視了一輩子的倭人翻了天，馬關一賠就是兩億兩白銀。這對於辦洋務近三十年的大清來說有點五雷轟頂的味道，最後那一點點自信蕩然無存。前面的路該怎麼走，或者說，還有沒有路。

上書失敗的孫中山已經找到了自己的路，沒啥好說的，反了！

皇城「政治之醞釀，百倍於廣州」，「和平之法，無可復施」矣！孫中山在北京盤桓數日，造反的意志日益堅定。他來到上海，漂洋出國，三度來到檀香山。這次他的到來是要胞兄孫眉大出血的。

首先孫中山在檀香山卑涉銀行經理何寬的家裡召集有二十人參加的第一次會議，成立了中國第一個革命組織——興中會。通過了孫中山起草的

《興中會宣言》，議定發行革命債券，募借起義
經費，準備武裝革命。

《興中會宣言》提出了「振興中華」的口號。在
入會誓詞中，明確提出「驅除韃虜，恢復中國，
創立合眾政府」的革命主張。拉起了人馬後，第
一件事就是籌款。孫中山首先找的當然是哥哥孫
眉，雖然過去兩人因為宗教信仰曾有過齟齬，但
此時面對祖國的現狀，以及弟弟的決心，孫眉終
於坐不住了，成為興中會最早的會員之一，並首
先捐款贊助。在哥哥以及華人華僑的捐助之下，
孫中山迅速籌集了幾萬港銀的經費，帶著這些
錢，孫中山起程東返，投向那條前途茫茫的造反
之路。

一九〇三年經孫中山改組
的《檀山新報》，成為革
命的喉舌

After the defeat of the Guangzhou Uprising, Sun Yat-sen was listed as wanted by the Qing imperial government and had to go into exile overseas. The government's offer of rewards for his arrest, only served to make the revolutionary ever more famous.

四海漂泊的
革命者

廣州起義失敗，孫中山被朝廷通緝，從此踏上了流亡海外的生活。官府的懸賞追捕，反而令這位革命者名聲大噪。

孫中山在動身回國前，與興中會的同志商討了起
義地點。孫中山認為，選擇起義地點必須考慮三
個條件：急於聚人，利於接濟，快於進取，並因
此提出「以廣東為最善」的意見。興中會採納了
這一提議，決定以廣東為革命舉義發祥地。

廣東在晚近以來一直成為國民革命的搖籃除了孫
中山考慮的三條之外，還有許多其他方面的便利
條件。

首先廣東地區是全國開放最早的地區，一八四〇
年以前廣州就有十三行通商，之後則開闢為通商
口岸，民智開放領全國之先；其次廣東有洪秀全
在先，各地會黨實力深厚，容易得到地方勢力支
持；再次，廣東華僑眾多，對於革命救國的思想
有共鳴，容易獲得海外華僑支持；而且廣東毗鄰
港澳，可以利用港澳在西人手中管理，清廷無法
插足，吸引籌款，購買兵器都有便利；最後孫
中山是廣東人，最初的革命同志也大多是廣東人，

本鄉本土，各自都有家族勢力，稍加利用既能聚
人，也便於受到掩護。

自孫中山起百年以降，廣東成為了全國的革命中
心，多少風雲在這片敢領天下先的土地上翻滾往
復，多少驚天動地的大事在這裡醞釀引發，為了
推翻帝制走向共和，又有多少粵籍仁人志士揭竿
而起。以孫中山為領袖，廣東革命者前赴後繼為
中國的自由，人民的解放拋頭顱灑熱血。

既然是革命，必然要有犧牲，從孫中山回到香港
策劃第一次起義，革命者就注定要獻出年輕的生
命。

孫中山到了香港後，立即召集舊友與他們討論擴
大興中會事宜。他們決定分頭行動，聯絡同志，
他們租下香港中環士丹頓街十三號樓房為總會

臨時大總
統孫中山

所，以乾亨行的名義作掩護，興中會總會成立大
會於一八九五年的二月二十一日舉行。同時又把
楊衢云等輔仁文社的熱血同人招入會中。

總會成立後，孫中山隨即策劃廣州起義，興中會
動員了三合會、三點會、添弟會、天地會等數萬
會眾，準備趁著九月九日重陽節之機，發動起
義，攻陷兩廣總督衙門，成立臨時政府。

經過半年籌劃，起義準備工作有條不紊，重陽前
夕，孫中山等人潛入廣州，準備指揮即將開始的

起義，楊衢云等在香港統籌武器人員事宜。孫中山在廣州策反了水師營、巡防營官佐，統籌各地起義人員入穗，並確定以陸皓東設計的青天白日旗為起義旗幟。經過一番緊鑼密鼓的籌備，廣州事宜基本停當。

誰知道到了重陽那日，變故橫生，起義主力，香港方面同志竟然未到。陳少白心知大事不好：起義不能如期舉行，必將洩密，提議取消起義，待日後再做打算。可惜，這時消息已經洩露，官府緹騎四出，大肆搜捕，封閉革命機關。冒險回機關取同志名冊的陸皓東等人被執。

正值廣州當局張網捕人之時，而香港方面的革命者兩百餘人，卻乘泰安輪朝廣州駛來。九月初十（10月27日）晚，泰安輪抵穗，船剛靠岸，即被預伏在岸邊的清軍捕去四十多人。孫中山等起義骨幹僅以身免。

孫中山、宋慶齡
在大元帥府

陸皓東這位與孫中山相交相知多年的革命者被
捕，受到酷刑拷打，最後被綁赴刑場殺害，成為
推翻帝製革命中最早犧牲的烈士。孫中山痛心不
已，稱陸皓東是「命世之英才」，「為中國有史
以來為共和革命而犧牲者之第一人」。

孫中山在首度策劃起義之前，最多只能說是「造
反」，而不能稱之為「革命」，因為彼時，孫中
山及同仁甚至不知道革命這個稱謂，而當時他們
所用的也多是「起事」、「發難」等詞語，並無

統一稱謂。這次起義雖然失敗，但孫中山的名字
第一次震動江湖。

起義失敗之後，孫中山先是逃往香港。接著，清
王朝下令對孫文等十餘人懸賞捉拿。孫中山被列
在緝捕名單的最前面，賞銀也最高，為花紅銀一
千兩。另外，清朝總理衙門向亞洲、美洲、歐洲
各國清使館發電，通緝孫文。

偉大的革命先行者孫中山先生
1866—1925

宋慶齡

孫中山匯合同志登上前往日本的輪船，擺脫了清
廷的追捕。在日本神戶上岸時，孫中山買了一張
日文報紙，一條醒目的標題赫然映入眼簾：「支
那革命黨領袖孫逸仙抵日……」這條消息激起他
澎湃的心潮，他感到，稱「革命」比他用的「起
事」、「發難」等更能反映他所探索的「振興中
華」的道路，「革命黨」的稱呼比「會黨」更有
意義。

他對同行的同志說：「『革命』兩字出於《易

經》『湯武革命，順乎天而應乎人』一語，意義
甚佳，吾黨以後即稱為『革命黨』可也。」此
後，「革命」一詞成了一個極其深刻的政治術
語，被人們廣泛運用至今。

不僅「革命」二字來源於日本，連中山之名也與
其有關。

孫文使用過不少名字，多數是為了宣揚革命或擺
脫通緝而取的，部分則在於表達人生期望。除了
下列實際使用的名字外，孫文還用過陳文、山
月、杜嘉偌、公武、帝朱、高達生、吳仲等化
名，以及杞憂公子、中原逐鹿士、南洋小學生、
南洋一學生等筆名。

一八九六年在日本避難時，日本友人為孫中山登
記旅館，當時剛好在日本中山侯爵府邸附近，孫
文隨口就說「中山」，然後在中山後面加了一個
樵字改為中山樵。孫中山稱：我為中國一山樵。

孫中山在工作

後在各種信件函件中也署名中山，國人遂以中山先生稱他。

中山本為日姓，那又如何成為了名字，其中也有一段逸事。民國後，學者章士釗在編譯介紹孫中山革命事蹟《三十三年之夢》一書時，章士釗因一時筆誤，將孫先生的姓與假名「中山樵」的前兩個字連綴成文，寫成了「孫中山」。後來該書出版發行後，「孫中山」這個名字也隨著廣為傳播。久而久之，竟成了孫先生的常用名。照這樣

說來，「孫中山」這個名字應該是章士釗給
「起」的才對。

至於孫逸仙則是國際上對孫文通用的名字，源於
孫中山在香港求學期間。十八歲時他在香港受教
會洗禮時署名日新（乃自取「日新又新」之
義），業師區鳳墀據粵音「日新」為改號曰「逸
仙」。

孫中山在廣州越秀山的讀書處

無論孫中山的名字叫文也罷，叫日新也罷，叫逸仙也罷，在清廷眼裡，他就是一個危險的造反者，必欲除之而後快，海捕公文當真遍及天涯海角。全世界只要有清廷使館的地方，就會把追緝孫中山的事務放到重要位置。清廷總理衙門與駐美公使之間的電文往來證明了這點，而且孫中山到美國後的一舉一動都被監視在眼裡。

孫中山也非毫無防備，他斷髮改裝就是為了隱蔽自己。一九一一年，孫中山曾以自豪的口吻，與倫敦《濱海雜誌》記者談及自己斷髮改裝的事情：「我從香港逃到神戶以後，採取了一個重大步驟，把我從小蓄留的辮子剪掉了。有好幾天不刮臉，在上嘴唇頂邊留起了鬍子。

清政府駐倫敦使
館，孫中山曾被囚
於此

隨後又到服裝店買了一身新式的日本和服。當我
穿戴好了，往鏡裡一照，一見面目全變，不禁吃
了一驚，但也為此而感到放心。」

孫中山在檀香山、舊金山、紐約等地宣傳革命思
想，組建各地分會，但不見成果。於是一八九六
年九月孫中山又前往英國，尋找革命機會。孫中
山在倫敦期間，被中國公使館祕密查出其真實身
分，並設計把孫中山捕到公使館內。

抓到了這個大名鼎鼎的革命首領，清廷欣喜異常，但他們同樣面臨壓力，雖然孫中山可囚於使館中，但如何送回國是個難題，英國與清廷沒有引渡條款，一旦事發會引起英國外交壓力。清廷經過一番謀劃，決定花大價錢包船祕密運送。而且還定下最後策略，如果無法押送活人，就先殺之後用防腐處理再送回國。真是「活要見人，死要見屍」。

身陷囹圄的孫中山最棘手之事就是如何與外界取得聯繫，負責他起居的英國僕人柯爾卻被使館方面盯得很死。孫中山三番四次讓他送信，都被柯爾交給了使館。但經過數日交流，柯爾逐漸發現孫中山這位彬彬有禮的紳士並不像清廷官員所說的如此可怕。

最終孫中山博得了柯爾的同情，後者將他的字條傳送給了孫中山的老師康德黎博士手中。此時孫中山被囚已經五天。

康德黎博士立刻四處奔走，向英政府舉報，聯繫
媒體揭發清廷所為，通過種種手段營救孫中山。
畢竟在自己國家發生了非法禁錮的事件，英國政
府也給予清廷外交上的壓力，外交部向使館提交
備忘錄──要求按國際公法和國際慣例，迅速釋
放私捕人犯。在被囚十二天之後，清廷迫於外交
與輿論壓力，終於釋放孫中山。孫中山後來將這
段經歷寫成「倫敦蒙難記」。

孫中山與美國友人

The Huizhou uprising in 1900 was the first revolutionary shot aimed at overthrowing the absolute monarchy (the imperial administration) and founding a republic.

霹靂一聲起義

一九〇〇年的惠州起義，打響了二十世紀推翻君主專製革命的第一槍。孫中山宣示他的理想是以共和政體代替帝政統治。

孫中山最初成立的興中會，人數甚少，亦沒有士
林中人參與。一八九九年，興中會成員與三合會
在香港結盟，群雄相會的結果，促成了興中會、
三合會共同組建光漢會，推孫中山為總會長。

一九○○年，當八國聯軍攻陷北京，「京陷帝
奔」的消息傳遍大江南北之際，許多人都以為清
廷氣數將盡，垮台已成定局。「秦失其鹿，天下
共逐之，於是高材疾足者先得焉」，江湖立呈波
濤洶湧之勢，自認「高材疾足者」，一時並起。
孫中山也發出了「天下安危，匹夫有責，先知先

覺，義豈容辭」的吶喊。他從日本到了香港，籌
劃在廣東惠州歸善縣三洲田起事。

行動的計劃，分兩部分進行，一由鄭士良率南洋
會黨首領赴惠州，召集會黨六百餘眾，在三洲田
舉事；一由史堅如潛赴廣州，謀殺署兩廣總督德

台灣的國父紀念館

壽。鄭、史二人都是學子出身，史堅如則是史可法的後人，在廣州格致書院讀書時，化學成績尤為突出，是製造炸彈的一把好手。由於有這些讀書人及海外華僑的加入，廣東的幫會組織的胸襟、視野，均較內地幫會為寬廣，其民族意識、革命意識，亦較為濃烈。

十月八日夜晚，新安縣沙灣附近一聲鑼響，頭纏紅巾，身穿白布鑲紅號褂的會黨分子，從山上蜂擁而下，攻入了清軍水師提標的營地，縱火焚燒。紅頭軍原計劃進攻廣州，但由於預訂的台灣軍火一時無法運到，只好變更計劃，改途東北，向廈門前進。

直到惠州起義失敗以後，孫中山在

接受美國《展望》雜誌的記者採訪時，仍然熱情
洋溢地講述他的「聯邦共和」理想，以致《展
望》雜誌深信，「以聯邦或共和政體來代替帝政
統治，這是孫逸仙的願望」。

紅頭軍初戰告捷，孫中山心情興奮，豪邁放言：
「若今得洋銃萬桿，野炮十門，則取廣州省城如
反掌之易耳。廣州既得，則長江以南為吾人囊中
物也！」可惜他既沒有軍械，也沒有金錢。原來
答應提供軍火的日本人，臨時變卦，負責購買軍

廣州中山紀念堂

械的日本人竟捲款潛逃。台灣的日本總督拒絕向紅頭軍提供幫助，亦禁止孫中山入境，孫中山只好轉赴日本。清軍援兵源源不絕開到惠州。紅頭軍前無去路，後有追兵，不得不忍痛就地埋槍解散。

潛入廣州行刺德壽的史堅如，在巡撫衙門後面租了一間房子，挖地道通往撫衙內，埋下了二百磅炸藥。一切進行得神不知鬼不覺，史堅如點燃了地道中的炸藥，轟然一聲巨響，撫衙被炸得門牆崩塌二丈餘，但德壽僅受虛驚，從床上墮地而

已。次日，當史堅如來到省港輪船碼頭，準備去
香港時被捕，受盡酷刑，不屈而死，年僅二十二
歲，孫中山稱讚其「死節之烈，浩氣英風，成為
後死者之模範」。第二年，鄭士良在香港暴卒，
醫生診斷為中風，而坊間則傳聞為清廷暗探下毒
害死。

Upon establishment of the Chinese United League for "expelling the Manchu rulers, resuming Chinese status, founding the republic and equalizing the rights of land use", the 2000-year absolute monarchy had already begun its count down.

同盟會與
三民主義

中國同盟會成立，以「驅除韃虜，恢復中華，創立民國，平均地權」為宗旨，兩千多年的君主專制進入了滅亡前的倒計時。

從倫敦蒙難之後，到一九○五年之間也有近十年光景，孫中山主要周遊海外各國，宣傳革命思想，籌集款項，同時還與戊戌變法失敗後出洋的康有為、梁啟超等保皇派進行論戰。

這個時期是中國風雲變幻的時期，戊戌變法，庚子賠款相繼發生，清廷從政治到經濟都瀕臨破產，無論是庚子之變東南互保，還是各地此起彼

伏的會黨起義，這些事件交織在一起，大大削弱
了清廷的統治能力。

但全國的革命形勢依然散亂，一九〇四年長沙創
立了華興會，武昌組成了科學補習所；同年冬，
上海創建了光復會。革命團體如雨後春筍般誕
生，但互相缺乏聯繫，均是單槍匹馬地干。

一九〇五年，華興會會員醞釀設立「大湖南北同
盟會」，主張待孫中山來到東京後，奉他為領
袖。此間由於一些革命志士在國內起義失敗後多
逃亡東京，一批批血氣方剛的逃難者與留日學生
相會合，一時革命菁英薈萃，為中國革命聯合組
織在東京建立創造了有利條件。

是年七月，孫中山作為各路人馬公奉的領袖來到
日本東京，隨即與各路豪傑會面。孫中山説服眾
人組建統一的革命組織。在東京赤阪區檜町三番
地黑龍會址，各路好漢齊聚一堂，大夥就革命組

織的名稱和宗旨等達成共識，新的組織為中國同
盟會，將「驅除韃虜，恢復中華，創立民國，平
均地權」十六字作為組織宗旨。孫中山任總理，
黃興任執行部庶務，總部之下設執行、評議、司
法三部；於國內外分設九個支部，各省區成立分
會；大會還授權孫中山等制訂同盟會《革命方
略》，包括《軍政府宣言》、《對外宣言》、
《略地規則》等十一個文件，以供各地革命黨人
武裝起義時使用。

中國同盟會的成立是對海外革命力量的一次整
合，但它並不是一個嚴格意義上的政黨，形式過
於鬆散，缺乏組織紀律；但它終歸是一個統一的
組織，對於日後反清大業有著積極的作用。

同盟會的十六字口號，與孫中山後來提出的三民
（民族、民權、民生）主義，其實是一脈相通
的，可以說是三民主義的雛形。「驅除韃虜，恢
復中華」為「民族主義」，「創立民國」為「民

權主義」，「平均地權」則是「民生主義」。孫
中山後來進一步解釋說，他的思想受到了林肯
「民有，民治，民享」思想的影響。

孫中山在一九二一年的《三民主義之具體辦法》
中這樣敘述：「兄弟底三民主義，是集合古今中
外底學說應世界底潮流所得的。就是美國前總統
林肯底主義，也有與兄弟底三民主義符合底地

方……他這『民有』、『民治』、『民享』主義就是兄弟底『民族』、『民權』、『民生』主義。由此可知美國有今日底富強，都是先哲底主義所賜。而兄弟底三民主義，在比海外底為人已有先得我心的。兄弟回想從前在海外底時候，外國人不知道什麼是叫三民主義，嘗來問我的。兄

弟當時苦無適當底譯語回答他，只好援引林肯底
主義告訴他，外人然後才瞭解我底主義。」

孫中山對於林肯思想的借鑑，實際是他內心對於
歐美國家發達富強的一種羨慕與期冀，希望中國
未來的發展道路學習歐美的民主政治。

但三民主義也非一成不變，在孫中山看來，中國
的三民主義強調的是清末民初中國人民面臨最重
要的三大問題，民權是政府組織形式，是一種民
主共和政府體現民眾權利的訴求。民生主義用孫
中山自己的話說，「歐美所慮積重難返者，中國
獨受病未深，而去之易」。從小生於貧民家庭的
孫中山對此感觸良多，他主張通過實業救國，扭
轉中國糟糕的民生狀態。而民族問題對於孫中山
則有兩個階段，在推翻帝制之前，孫中山提出了
「驅除韃虜，恢復中華」的口號，這是一種借滿
族統治與華夏對立的提法。而在民國建立之後，
包括滿族在內的「五族共和」已經讓舊「民族主

義」不合時宜；孫中山的新「民族主義」則發展
為打倒列強的新「民族主義」，實質內容包括廢
除舊時與列強簽訂的不平等條約，歸還租借，歸
還主權等。

十一月二十六日，同盟會機關報《民報》在東京正式面世。孫中山為《民報》撰寫了發刊詞，首次公開揭示「民族」、「民權」、「民生」三大主義，強調說明「今者中國以千年專制之毒而不解，異種殘之，外邦逼之，民族主義、民權主義殆不可以須臾緩。而民生主義，歐美所慮積重難返者，中國獨受病未深，而去之易。是故或於人為既往之陳跡，或於我為方來之大患，要為繕吾群所有事，則不可不併時而弛張之」。

三民主義，與軍政、訓政、憲政三部曲，行政、立法、司法、考試、監察「五權分立」結合在一起，是孫中山為未來共和國的建設框定的具體方案。

同盟會的成立與三民主義的提出，可以視為推翻帝製革命運動中的里程碑，孫中山也由此成為了革命領袖。

As a revolutionary, he launched a series of assassinations and uprisings, regardless of life safety or defeat, which struck fear into the imperial government.

十次起義，
前赴後繼

革命者挺身於天下滔滔之際，置生死成敗於不顧，發動了一次又一次的暗殺和起義，使朝廷膽破心寒。

革命不是請客吃飯，自然需要強大的財力支持，
從走上革命道路第一天起，孫中山就如和尚一
般，到全世界各地去化緣。

成立興中會之後，活動經費就主要依靠募集。香
港《興中會宣言》第八條還作了號召會員買「革
命股票」的規定，「特設銀會以集巨資，用濟公
家之急，兼為股友生財捷徑……」具體做法是，
每股收銀十元，認一股至萬股隨便，收銀後發給
入股者一張「銀會股票」，革命成功後，每股可
收回本利百元。孫中山從中籌到港幣一點三萬
元。

其後為了便於在北美籌款，孫中山加入了致公堂
（洪門），被授予「洪棍」之職，他經常去美
國、加拿大、日本、南洋地區募款，籌款的方式
主要是在華僑聚集區舉行演講，演講過後，聽眾
受其愛國精神感召，便把身上的銅元、洋元、毫
洋和鈔票掏出來捐獻。孫中山還動員其他黨員給

海外華僑寫信，宣傳反清思想，爭取他們入盟，
捐款支持革命。

一九〇五年同盟會成立，擬定的《軍政府宣言》
中還設計了革命時期籌集軍費的辦法。規定每軍
設一個「因糧局」，專司軍費之事。

為商議廣州起義，孫中山電約同志到南洋檳榔嶼
開會。這次起義，預算約需十幾萬元。募款的重

孫中山題詞的航空救國碑

任，落在了同盟會總理孫中山的頭上。因荷屬之
地不許孫中山入境，英屬之地又將孫驅逐出境，
他只好遠赴美國向當地華僑募款。

起義前，要根據籌款的情況制定起義計劃和時
間，計算購運軍械的數量和召集義士的人數，要
給外省來的義士準備旅費和到廣州後的生活費。
經孫中山等人的努力，在香港、南洋、北美等地
共籌得十五萬七千二百一十三元。辛亥革命前十
次起義，各方捐款總額約六十二萬港幣（約31萬
美元）。

廣州中山紀
念堂內景

為推翻專制王朝，拯救危難的國家，忠志之士，
挺身於天下滔滔之際，置生死成敗於不顧，憑著
一股「我不入地獄誰入地獄」的精神和勇氣，發
動了一次又一次的暗殺和起義，使官府膽破心
寒。在辛亥革命前，孫中山及其同志先後組織過
十次起義。

一、乙未廣州之役（1895年10月），也稱廣州起
義。

二、庚子惠州之役（1900年10月），也稱惠州三
洲田起義，主要指揮者鄭士良。

三、丁未黃岡之役（1907年5月），也稱潮州黃
岡起義，主要指揮者陳湧波、余既成。余、陳二
人率會黨人士數百人，攻入潮州黃岡，以中華國
民軍的名義張貼佈告。由於清軍大舉進攻，起義
軍堅持戰鬥數天，終因死傷過重而告失敗。

四、丁未惠州七女湖之役（1907年6月），也稱惠州七女湖起義，主要指揮者鄧子瑜。義軍與清軍戰鬥十餘日，終因敵我力量懸殊，最後不得不自行解散。

五、丁未防城之役（1907年9月），也稱欽廉防城起義，主要指揮者王和順。革命軍一度發展到三千人，進攻欽州府城及廣西靈山等地均未得手。後因腹背受敵而告失敗。

黃花崗七十二烈士紀功坊

六、丁未鎮南關之役（1907年12月），也稱鎮南關起義，主要指揮者黃明堂。孫中山率領黃興、胡漢民從越南河內趕到鎮南關親自督戰。孫中山還在陣地上為傷員包紮，親手發炮轟擊敵人，由於起義軍槍械彈藥不足，孫中山即返回河內籌辦。清軍旋以四千餘人圍攻右輔山。義軍堅守砲臺，血戰數日，因寡不敵眾，不得不突圍而出。起義遂告失敗。

七、戊申馬篤山之役（1908年3月），也稱欽康上思起義，主要指揮者黃興。義軍轉戰四十餘日，隊伍發展到六百多人，戰鬥中先後擊敗清軍一萬人。後因彈藥不繼，義軍宣佈解散。

八、戊申河口之役（1908年4月），也稱河口起義，主要指揮者黃明堂、王和順、關仁甫。

九、庚戌廣州新軍之役（1910年2月），也稱廣州新軍起義，主要指揮者倪映典。河口起義失敗

後，孫中山和他的戰友們總結經驗，認為軍事鬥
爭，不能僅靠會黨人員，還應該運動清軍，尤應
在新軍中進行工作。一九一〇年二月，廣州新軍
與巡警發生衝突，清政府派兵鎮壓，倪映典趁機
率三千新軍士兵倉促提前起事。因準備不周，在
廣州水師的突然襲擊下起義失敗。倪映典壯烈犧
牲。

十、辛亥廣州三月二十九日之役（1911年4月），
也就是著名的黃花崗起義，主要指揮者黃興。是
役義軍寡不敵眾，最終不敵清兵潰散。事後，革

命黨人潘達微等通過善堂撿得義士遺骸七十二
具，合葬於廣州東郊黃花崗（時稱紅花崗）。這
次起義集中了各省革命黨人的菁英，喻培倫、方
聲洞、林覺民等被捕殺，付出了慘重代價。

從一八九五年乙未廣州之役開始，到一九一一年
辛亥廣州之役，孫中山及其同志前後十六載前赴
後繼，組織十次起義，犧牲仁人志士數以千計。
雖然一一失敗，但毫無疑問，這些起義就如播種
機，將三民主義推翻清廷的革命思想播撒到華夏
大地。孫中山以實際行動為清王朝挖墳掘墓，屢
屢身先士卒，成為名副其實的革命先行者。

After 5,000 years of history, China founded the first democratic republic state in Asia, the Republic of China, when Dr. Sun Yat-sen was elected interim president.

被尊為
中華民國之父

中國五千年歷史上及亞洲第
一個民主共和國——中華民
國誕生了！孫中山當選為中
華民國臨時大總統。

臨時大總統誓詞

當大大小小數以百計的起義猶如驚濤一般拍打在清廷這艘老破巨船時，總有一天要將這艘破船打碎。

這一天終於到來，一九一一年十月十日。

當晚，武昌新軍工程營第八營首先發難，迅即占領楚望台軍械庫。十月十一日凌晨攻陷了湖廣總督衙署。武昌起義的消息迅速傳遍了全世界。

孫中山率文武官員
祭明陵

此時擺在孫中山面前的是兩條路，一條是立刻回
國組織指揮反清起義，另一條是周遊列國爭取歐
美支持，籌款籌餉。孫中山選擇用兩個月時間在
歐美各國間進行外交籌款，但當時他沒有新政府
任何名義，雖然勸說了英政府斷絕向清廷貸款，
但並沒有向各國籌得一分一毫，最終隻身回國。

十二月二十一日，孫中山坐船至香港，國內的同
志告知孫中山，袁世凱居心叵測，北上危險，建
議他留在廣東，訓練精兵，廓清強敵，使南北真
正統一。孫中山堅持北上，他認為革命陣營內部
主張歧異，他若不至滬、寧收拾時局、創建政

中華革命黨本部之印

府，一切對內對外大計，絕非他人所能擔任。

十二月二十五日，孫中山抵達上海。中外報紙盛傳他攜巨款回國，孫中山坦然地說，他沒有帶回一文錢，帶回的只是革命精神。

孫中山抵滬，增強了同盟會內反妥協的力量。孫中山抵滬第二天，同盟會即召開最高幹部會議，改訂暫行章程，重新發佈宣言，批判了「革命軍興，革命黨消」的主張，強調團結統一，殄滅元兇，貫徹三民主義；同時討論國家政體問題，對採用總統制或內閣制未作決定。十二月二十九日，在南京舉行的十七省代表會議上，孫中山當選為中華民國臨時大總統。

一九一二年一月一日，所有熱愛自由的中國人都永矢不忘的一天。上午十時，孫中山偕各省代表由上海乘滬寧線專車赴南京。下午五時，汽笛一聲長鳴，火車駛入了下關車站。當晚，孫中山到

孫中山在明陵發表演說

達總統府所在地：舊兩江總督署。晚上十時舉行
總統受任禮，改元為中華民國元年。

此時清廷還在袁世凱北洋軍的支撐下在北京苟延
殘喘，而長江南北各省紛紛宣佈獨立，孫中山以
革命領袖的身分將領導全國革命力量對清廷最後
一擊。武昌起義的勝利不是結束，而是一個新的
時代的開始。

孫中山與袁世
凱頭像明信片

孫中山所代表的同盟會革命力量最大的問題是久
居海外，雖然在反清的大義上占著制高點，但畢
竟漂泊多年，又加上十次起義國內的力量損耗過
大，同盟會其時在國內缺乏根基。孫中山雖然擔
任了臨時大總統，但要兵沒兵，要餉沒餉，還不
能組織像樣的北伐。武昌起義雖打響了第一槍，
但在北洋軍的壓制下，起義軍只保有武漢三鎮中
的武昌。袁世凱利用手裡的北洋軍一方面敦促清
帝，一方面與南京和談，對孫中山等革命力量來
説，前途十分不利。

在大總統的人選上，袁世凱憑藉著軍事實力占據
著很大的優勢。當時輿論包括革命黨的報紙《民
立報》、《神州日報》等都有文章社論敦促袁世
凱返歸以促共和。南方各獨立省份也拋出七督聯
合組建共和國，推舉袁世凱為大總統的動議。

孫中山認為，袁世凱無非是想當總統，如今他手
握重兵，仍然占據著大半個中國，如果與民軍較

臨時大總統辦公室

量起來，勢必使戰火蔓延，百姓生靈塗炭；如果
此人能夠反戈一擊，迫使清廷退位，則我們的革
命可以早一天成功，革命同志可以少流鮮血，人
民大眾可以少一點痛苦，我們推翻清廷，建立民
國的理想可以早一點實現。

於是，孫中山向袁世凱發出電報，表示願為天下
蒼生計，只要袁逼迫清廷遜位，則遵守臨時大總
統的誓言「至專制政府既倒，國內無變亂……文
當解臨時大總統之職，謹以此誓於國民」。言下
之意，退位讓與袁世凱。

接到孫中山的電報，袁世凱方才逼迫清廷於一九
一二年二月十二日宣佈退位。兩千年帝制就此結
束。

孫中山也履行諾言準備辭去臨時大總統職位，但
提出了三個先決條件：一、臨時政府必須設在南
京；二、新任臨時大總統必須到南京就職；三、

一九二四年十月的孫中山

新任臨時大總統必須遵守臨時參議院制訂頒布的
一切法律章程。最終臨時參議員以此票選通過袁
世凱為大總統。

但袁世凱堅決不肯到南京就職，利用北京的一次
兵變為藉口推辭南下，孫中山等同盟會力量因為
缺乏實力，最終不得不妥協，三個先決條件被迫
取消。孫中山為了使中國真正走上民主法制的道
路，在交接期間主持制訂了《中華民國臨時約
法》並獲得參議院的通過。這也是他為締造民國
所作的最大的貢獻。

97

一九二四年十一月七日孫中山參加慶祝蘇聯十月革命勝利
七週年活動留影

孫中山讓位與袁世凱，可以看作他政治生涯中的亮點，審時度勢，不眷戀權位，為民國建立有序政治提供了很大的機會。在辭去大總統職位後，孫中山開始了全國的巡遊，鼓吹實業救國。

為喚起國人注重民生建設，孫中山於四月三日離寧赴滬。他先後接見國內外記者，表示竭力從事社會革命，對集資修築鐵路及外國投資問題發表意見。在武昌民眾露天大會上，孫中山建議建造長江大橋或鑿通隧道，使武漢三鎮連為一體，武漢市民備受鼓舞。之後孫中山興致勃勃，前往各地，遊說實業建設，宣傳民生主張，而福建，而廣東，足跡遍及十餘省市，沿途視察鐵路、工廠、港口，發表鼓吹實業建設的演講。據統計，他在一九一二年四月至翌年年初，發表演講五十八次，專講民生主義或與民生主義相關的就有三十三次。

孫中山認為發展實業，首先就要抓交通建設，特

孫中山與宋慶齡

別要速修鐵路。他擔任了全國鐵路協會名譽會
長，隨後還接受了袁世凱授給的「籌畫全國鐵路
全權」的任命。他致函宋教仁，表示要捨去政
事，在十年之中，修築鐵路二十萬里。

應袁世凱的邀請來北京的孫中山，參加了國民黨
的成立大會，被推舉為理事長。不久，他便委任
宋教仁為代理理事長，自己仍致力於實業建設之
鼓吹和籌劃。

在京期間，孫中山同袁世凱會談過十三次。袁氏

表面上對孫中山所提問題無不欣表贊成。孫中山
為之感動，向袁世凱表示：希望袁氏當總統十
年，練兵百萬，保障共和國，自己則大辦實業，
強國固基。孫中山雖未能完全贊同袁世凱就各大
問題的意見，但頗為支持其建設統一國家的表
示。

這是中國難得的一段休養生息的時間，孫中山發
揮他的演說才能，在國內掀起了一股實業救國的
熱潮。

In the struggle with counter-revolutionaries under the guise of republicans, Sun Yat-sen led the progressive force nationwide in protecting the republic and upholding the provisional constitution and other revolutionary campaigns, and also founded the southern revolutionary regimes.

為了主義，
不惜一戰

在真共和與假共和的鬥爭中，孫中山領導全國進步勢力，進行了討袁護國、護法等革命，建立南方革命政權。

對中國人民來說，一九一二年是充滿希望的年份。在這一年不但建立了歷史上第一個共和國，而且開始了中國歷史上的第一次民主選舉議會。儘管出現了不少買選賄選的場面，但畢竟是邁出了代議政治的第一步。

一九一三年初選舉揭曉，結果，國民黨獲得參眾兩院共三百九十二個議席，占絕對優勢。根據

廣州人慶祝孫中山
當選非常大總統

一九一七年六月「護
法軍政府」七總裁合
影

《臨時約法》規定，國民黨將以多數黨地位組織
責任內閣，國民黨代理理事長宋教仁準備出任內
閣總理。

但正當宋教仁躊躇滿志準備北上組閣的時候，遭
到刺客暗殺，中彈身亡。就這樣，這位篤信議會
政治，希望在中國建立民主自由的年輕人溘然長
逝，時年三十一歲。

宋案發生時，孫中山正在日本，他在得知消息後
立刻返回國內，在上海的黃興寓所召開會議，以
討論下一步的對策。孫中山在得知案件過程後極
為悲憤，他在會上極力主張起兵討袁。但當時國
民黨內部不少人主張用法律解決，意見無法形成
統一。這時，袁世凱分別下令免去由國民黨人擔

任的江西、廣東、安徽都督職務。七月初，袁藉
口「匪黨謀亂」，遣重兵向長江流域推進。

漁陽鼙鼓，警號頻傳。南北戰火一燃，從此天下
蕩覆，群雄虎爭，所謂「共和的根本在法律」，
便不可復問了。七月十二日，湖口宣佈獨立。三
天以後，黃興趕到南京，出任江蘇討袁軍總司
令。由此，「二次革命」正式爆發。

在北洋軍的攻勢下，國民黨的抵抗頃刻瓦解。當
北洋軍向討袁軍最後一個據點吳淞發動猛攻時，
孫中山乘坐輪船，離開了硝煙滾滾的上海，準備
南返廣東。次日途經馬尾，日本駐福州領事館武
官告訴他們，廣東的獨立也失敗了。孫中山大失
所望，只得臨時改變計劃，改道前往日本去了。

辛亥革命後一度閃現的希望之光，終於黯然消
逝。孫中山依然要在逃亡中尋找救國救民的道
路。

大元帥府辦公室

用武力打破國民黨的袁世凱，立刻宣佈取締國民
黨，追繳國民黨議員的證書，致使民國第一屆國
會由於不足法定人數而名存實亡。一九一四年一
月，袁乾脆下令解散國會。

袁世凱露出的專制軍閥一面，讓眾多民黨同志對
議會政治失去了信心。而孫中山對於新的形勢，
決定組建新的革命黨，他認識到：「真中華民國
由何產生？就是要以革命黨為根本。根本永遠存
在，才能希望有無窮的發展。」但是，舊的政黨
如同盟會已顯過時，國民黨也已解體，都難以再
次擔負領導革命的重擔。革命要起死回生，出路

一九二三年一月二十一日，孫中山先生在廣州就任陸海軍大元帥職時
與軍官合影

只有一條：必須「趕快組織新黨」。於是，孫中
山決心「重整黨幟，為捲土重來計」，發起組織
一個新黨——中華革命黨，「雪癸丑之恥，盡辛
亥之功」。

孫中山的政治方略，把國民革命分為軍政、訓
政、憲政三個時期。他認為革命黨是人民的保
姆：「我們建立民國，主權在民，這四萬萬人民
就是我們的皇帝，帝民之說，由此而來。這四萬
萬皇帝，一來幼稚，二來不能親政。我們革命黨

既以武力掃除殘暴，拯救得皇帝於水火之中，保衛而訓育之，則民國的根基鞏固，帝民也永賴萬世無疆之休。」

針對過去的經驗教訓，孫中山認為，新的黨必須加強黨員管理，強化黨內的組織紀律，規定入黨者要寫誓約、印指模，向孫中山宣誓效忠。一九一四年七月，孫中山等國民黨人在日本成立中華革命黨，孫中山自任總理。

失去了掣肘的袁世凱終於走上了獨裁稱帝的不歸路，只是此時民國概念深入民心，一九一五年十二月當袁世凱準備登基稱帝的時候，蔡鍔宣告雲南獨立，成立護國軍，正式起兵討袁。孫中山發表《第二次討袁宣言》，號召全國人民起來與獨夫民賊袁世凱決一雌雄，不僅要「以去袁為畢事」，而且要「除惡務盡」，在中國永遠剷除帝制。

護法軍人塑像

次年六月，袁世凱在眾叛親離的一片罵聲中一命
嗚呼。

但袁世凱的北洋系隨後接掌政權，一九一七年段
祺瑞掌權後，繼續廢棄民元國會和《臨時約
法》。孫中山意識到擺在面前的是一場「真共和
與假共和之爭」。一九一七年五月，因對德國宣
戰問題，北京發生督軍團大鬧國會事件，總統被
迫退位，國會解散。七月再發生張勳復辟事件。
孫中山號召西南各省，起兵捍衛民初約法，討伐
民國叛徒。

為此，孫中山等乘軍艦南下，打出「護法」旗
號，召集國會議員，結果先後有一百八十餘名國
會議員來到廣州。由於南來的國會議員尚不足召
開國會的法定人數，孫中山決定採用國會非常會
議的名稱。九月九日根據八月三十一日通過的《
軍政府組織大綱》選舉大元帥，出席議員也僅有
九十一人，孫中山以八十四票當選大元帥。

軍事上，孫中山藉助桂系軍閥和滇系軍閥的力
量，但後二者不過想藉助孫中山的政治影響力對
抗北洋政府。護法政府同床異夢，孫中山之令不
出「府門」。廣州市面軍閥橫行，「護法運動」
從一開始便陷入困境之中。

在軍閥操縱下，一九一八年五月二十日非常國會
改組軍政府，把孫文降為七總裁之一。孫中山於
五月二十一日憤然離開廣州，前往上海。護法運
動受挫。

孫中山的理想，是成立一個正式的中央政府，由
他擔任總統，領導全國革命。一九二一年一月十
二日，非常國會在廣州復會，選舉總統之議，響
徹雲霄。孫中山號召國民黨人，像推翻清政府、
袁世凱那樣，再發動一次全國性的革命，來推翻
北洋政府。四月七日，兩百多名議員召開非常國
會，表決通過了中華民國政府組織大綱，孫中山
得二百一十八票，當選為中華民國大總統。

一九二二年二月三日，孫中山決計從廣西出發，取道湖南，進兵北伐。但由於連年被兵，湖南方面無論是當局還是人民久已厭戰，故宣佈保境息民，拒絕北伐軍假道。入湘計劃於是告吹。孫中山班師回粵，改道江西北伐。五月九日，孫中山在韶關大誓三軍，旌麾北指。

但這時留兩廣的粵軍，卻反對孫中山的北伐計劃，並發動兵變，逼孫中山下台，離開廣東。六月十六日凌晨，粵軍圍攻總統府，短兵相接，炮火亂轟。孫中山脫險登上軍艦，宣佈和粵軍開戰。

這對孫中山是一次沉重的打擊，辛亥革命勝利後，孫中山一而再、再而三地在政治上遭遇挫折，這讓他開始思索，到底是哪裡出了問題，讓他堅持的三民主義實行得如此艱難。

With the joint support of the Soviet and the Chinese Communist Party, Sun Yat-sen started to reorganize the Chinese Nationalist Party, which represented the last chance for him to realize the revolutionary ideal, following all kinds of hardships and difficulties.

揭開
新時代的帷幕

在蘇俄與中共的支持下，孫中山開始改組國民黨，對於歷盡磨難的他來說，這也許是實現革命理想的最後一次機會。

南京中山陵

當孫中山辭世之時，他的遺囑有一句名言，「革命尚未成功，同志仍需努力」。這句話飽含了孫中山對革命的總結和期盼，但早在一九二三年，孫中山已經認識到革命的重要問題──國民黨組織渙散無力：有的黨員意志衰退，有的貪圖安逸，有的追隨封建軍閥，更有的成了革命的叛逆……新生的共產黨充滿了活力和生機，使他下決心改組國民黨，實行國共合作。

早在俄國十月革命勝利之初，孫中山就在極祕密條件下，與列寧以函電相互討論東方革命問題。

一九二一年八月，孫中山在答覆俄羅斯蘇維埃共
和國外交人民委員齊契林的信件中，要求同這一
新興的社會主義國家取得廣泛聯繫，以便瞭解俄
方政治、軍事、教育等方面的經驗。年底，共產
國際派代表到桂林和孫中山會晤，交流了有關十
月革命和中國的情況。

孫中山在上海的故居

孫中山在黃埔軍校開學典禮上

在蘇俄代表的穿針引線下，國共雙方就共產黨員加入國民黨的身分問題，中國共產黨在國共合作中的地位達成了共識。孫中山之所以容納共產黨員加入國民黨，主要有兩個原因，首先是共產黨現階段的主張——對內打倒軍閥，對外打倒帝國主義——和國民黨有共同點；其次是為了「合全國而為一，群策群力，努力而行，則將來成功，必定更大」。

通過聯俄，國民黨得到了蘇俄在經濟和軍事上的援助。在過往歲月中，孫中山多次因為缺乏資金導致革命活動的失敗，因此在聯俄容共的轉變下，從蘇俄獲得切實的援助是非常重要的方面。

一九二三年一月二十二日，蘇俄代表越飛抵達上海，即日赴孫中山寓所，與孫進行會談。此後又進行了多次會談，討論國民黨改組和尋求蘇俄在財政和顧問專家等方面的援助的問題。二十六日，發表《孫文越飛宣言》，宣言奠定了孫中山聯俄的政治基礎。

得到蘇俄與共產黨的支持，孫中山開始改組國民
黨，對於歷盡磨難的他來說，這也許是他實現革
命理想最後一次機會。

一九二二年九月四日，孫中山在上海召開了研究
改組國民黨計劃的會議，開始準備工作，初步成
立了改組工作的機構。十一月十五日，孫中山召
集範圍更大的第二次談話會，討論和審議改進方
略起草委員會起草的黨綱與總章。十二月十六

在中國國民黨第
一次全國代表大
會上致開幕詞

日，他再度召開會議，進一步討論和修改宣言草
案。經過幾個月時間反覆討論修改，並經孫中山
正式批准，《中國國民黨宣言》及《中國國民黨
黨綱》於一九二三年一月一日公開發表。其中扼
要地闡述了國民黨的政治理念和革命目標，明確
提出：國民黨是以謀求實現民族平等、民權平等
和民生平等的三民主義為目標的革命政黨。

孫中山解釋他的三民主義：「民族主義：以本國
現有民族構成大中華民族，實現民族的國家。」
「民權主義：謀直接民權之實現與完成男女平等

之全民政治」，人民要有以下各權：一、選舉
權；二、創製權；三、複決權；四、罷免權。
「民生主義：防止勞資階級之不平，求社會經濟
之調節，以全民之資力，開發全民之富源」，包
括：一、凡國中大規模之實業屬於全民，由政府
經營管理之；二、由國家規定土地法、使用土地
法及地價稅法，以謀地權之平均；三、革新貨幣
制度，以謀國內經濟之進步。

一九二四年一月二十日上午，中國國民黨第一次
全國代表大會在廣東高等師範學校禮堂開幕。到
會代表一百五十六人，其中有中國共產黨人二十
四人，孫中山以國民黨總理的身分擔任會議的主
席。這次大會討論了黨章、推舉總理及中央執行
委員、中央審查（監察）委員、政綱、大會宣言
等重要事項。孫中山在大會上特別鄭重地闡述了
民生主義以釋群疑，對於「聯俄、容共」策略也
作了詳細公開說明。

孫中山和李大釗步出
國民黨一全大會會場

大會通過了《中國國民黨第一次全國代表大會宣
言》，接受了中國共產黨提出的反帝反封建的主
張，確立了「聯俄、容共、扶助農工」的政策，
以革命的精神重新解釋三民主義。

一全大會以後，中國革命運動逐步進入高潮，從
一九二四年至一九二五年五月，廣東省有二十二
個縣成立了農會組織，有組織的農民在二十一萬
人以上。廣州沙面數千工人反對英帝國主義的政
治罷工，堅持鬥爭一個多月，取得了勝利，並推
動了廣州工團軍的成立。

在孫中山革命歷史上，他一直苦於沒有一支忠誠
支持他的武裝力量，一直以來孫中山只能與軍閥
聯合，他的革命理想一次次在被軍閥的出賣、利
用和決裂中化為泡影。因此掌握一支有力的忠於
自己的軍隊是孫中山的重要目的。在國民黨改組
之後，孫中山在蘇俄的幫助下建立黃埔軍校，從
此國民黨有了屬於自己的軍隊。

早在一九二三年八月，孫中山派出了由蔣介石率
領的「孫逸仙博士代表團」（蘇聯稱之為「孫中
山軍事代表團」）訪問蘇聯，考察軍事、政治和
黨務。代表團著重考察了蘇聯紅軍的組織、訓練
和裝備，參觀了軍事院校，會見了蘇聯紅軍的各
級指揮員並與之進行交談，瞭解到「團長專任軍
事指揮，政治及知識上業務，與精神講話，則由
黨代表任之」。蘇聯紅軍的組織、制度和訓練等
方面的經驗，也就成為後來創立黃埔軍校，組建
革命軍隊的原則和模本。

國民黨一全大會之後，孫中山下令成立陸軍軍官
學校籌備委員會，任命蔣介石為籌委會委員長，
並將原來的「國民軍軍官學校」改名為「陸軍軍
官學校」，確定以廣州市郊黃埔島上原水師學堂
和陸軍小學的舊址為校址。

國民黨一全
大會會場

軍校於一九二四年五月五日正式開學，來自全國
各地的第一期五百餘名學生入學。

黃埔軍校實際上是在蘇聯軍事顧問的幫助下建立
起來的。學員們不僅要學習軍事理論，各種軍事
術科，還要學習多達二十六門政治課程，其中包
括社會主義、三民主義、帝國主義、工人運動、
農民運動、學生運動、蘇聯研究等方面的課程。

孫中山親手締造的黃埔軍校不僅為他鍛造了一支
當時中國最有戰鬥力的黨軍，在此之後，在風雲
變幻的中國政治舞台上，這批黃埔軍校的同學，
幾乎左右了之後二十年的中國軍政。

With his strong-will to light a candle in the surrounding darkness, Dr. Sun Yat-sen devoted all his life to leading the people to take the path of freedom and revival of the nation.

和平、奮鬥、救中國

孫中山的一生，憑著他堅強的意志在黑暗中點起一盞燭火，試圖照亮周圍，引領著國人走上自由復興之路。

遺容

遺像車

護靈隊伍

改組國民黨以及聯俄容共政策制訂之後，孫中山領導的國民黨進入事業的高潮。在蘇俄支持下，孫中山以黃埔學生為班底組織了國民革命軍第一師，使用這支純屬於國民黨的隊伍發起了東征、南討，統一了兩廣。孫中山領導的廣州國民政府將廣州建設成為反帝反封建的大本營。

正當孫中山躊躇滿志動員國內進步力量，準備北伐推翻北洋政府統治的時候，北洋軍閥內部發生了重大分化。直系軍閥馮玉祥發動北京政變，電邀孫中山北上「主持大計」，皖系軍閥與奉系軍閥均表示歡迎孫中山北上。為了實現國家的和平統一，為了「拿革命主義去宣傳」，孫中山抱病北上。

| 133

靈車

中山陵

一九二四年十一月十日，孫中山發表《北上宣言》，主張廢除不平等條約，召開國民會議，「以謀中國之統一與建設」。他在十三日離開廣州，踏上北上的路途。

一路上孫中山得到各界民眾的熱烈歡迎，在北京的火車站上，參加歡迎的各界群眾有十萬人之

多，盛況空前。孫中山沿途多次發表反對帝國主
義、反對軍閥、謀求全國真正統一的演說。雖與
張段之流無話可說，但利用在京時機，孫中山派
隨員接觸各界人士，廣泛宣傳孫中山的三民主義
革命思想。

早已抱恙的孫中山，經過旅途勞累造成病情加重，一九二五年一月二十五日，病勢忽然轉劇，由北京飯店移住協和醫院。當日施行手術，醫生斷定為肝癌，認為是不治之症，非常危險。當時雖用鐳錠療治，僅可減少痛苦，不能根本解決。

二月十七日，協和醫院宣佈放棄治療。孫中山搬到鐵獅子胡同行轅靜養，改用中藥治療，最初似乎有點小效，但很快便回天乏術了。三月十一

日，孫中山強打精神，在遺囑上籤了字。三月十二日，清晨。孫中山神智逐漸模糊，不斷囈語，並用英語與粵語呼「和平、奮鬥、救中國」。上午九時三十分，一代革命元勛，魂歸道山。

孫中山走完了他五十九年的人生歷程，這段歲月也是中國苦難最深重、最黑暗的時期之一。孫中山憑著他那堅強的意志在黑暗中點起一盞燭火，試圖照亮周圍，引領著國人走出一條自由復興之路。雖屢戰屢敗，卻屢敗屢戰，那顆戰鬥的心從未停止跳動。

縱觀他四十餘年的革命經歷，有過成功，有過失敗，有過寬恕也有過偏激，但蓋棺定論，孫中山不愧於革命的先行者之名。孫中山的革命理想也非一成不變，從開始推翻帝制，到打造共和；從護國護法，到聯俄容共，孫中山在這條佈滿荊棘的路上探索前行，走過彎路。在中國歷史上，他以自己一生的奮鬥寫下了濃墨重彩的篇章。

嶺南文庫 A0702A11

嶺南文化十大名片：孫中山

主　　編　林　雄
編　　著　唐元鵬
版權策畫　李　鋒
發 行 人　陳滿銘
總 經 理　梁錦興
總 編 輯　陳滿銘
副總編輯　張晏瑞
出　　版　昌明文化有限公司
桃園市龜山區中原街 32 號
電話 (02)23216565
印　　刷　百通科技股份有限公司
發　　行　萬卷樓圖書股份有限公司
臺北市羅斯福路二段 41 號 6 樓之 3
電話 (02)23216565
傳真 (02)23218698
電郵 SERVICE@WANJUAN.COM.TW
大陸經銷　廈門外圖臺灣書店有限公司
電郵 JKB188@188.COM

ISBN 978-986-496-217-4
2019 年 6 月初版二刷
2018 年 1 月初版一刷
定價：新臺幣 220 元

如何購買本書：

1. 轉帳購書，請透過以下帳戶
   合作金庫銀行 古亭分行
   戶名：萬卷樓圖書股份有限公司
   帳號：0877717092596
2. 網路購書，請透過萬卷樓網站
   網址 WWW.WANJUAN.COM.TW

大量購書，請直接聯繫我們，將有專人為您
服務。客服：(02)23216565 分機 610

如有缺頁、破損或裝訂錯誤，請寄回更換

國家圖書館出版品預行編目資料

嶺南文化十大名片：孫中山 / 林雄主編.--
初版.-- 桃園市：昌明文化出版；臺北市：
萬卷樓發行, 2018.01
　面；　公分
ISBN 978-986-496-217-4(平裝)
1.孫文 2.傳記
005.31　　　　　　　　　　107002001

本著作物經廈門墨客知識產權代理有限公司代理，由廣東教育出版社有限公司授權萬卷樓圖書股份有限公司出版、發行中文繁體字版版權。
本書為金門大學產學合作成果。　　　　　校對：陳裕萱／華語文學系二年級